Colas

Adivina quién es?

Silvia Dubovoy
Ilustrado por David Méndez

Colas

EVEREST

A mis nietos Isaac, Jonathan, Eithan, Edy, Alexandra,
Daniel, Arturo y Álex, con quienes miro y remiro
la vida desde los ojos de la infancia.

Doy las gracias a Paco Pacheco, entrañable amigo,
que me ha enseñado el arte de pulir palabras, de impregnar
emociones en papel y de compartir mundos extraordinarios
a través de las letras.

A Pedro Moreno, por el tiempo disfrutado y compartido
entre orejas, picos, patas, ojos, dientes y alas...
Gracias por tu generosidad y tus conocimientos.

GRANDE COMO UN SUBMARINO
SU ENORME COLA TE ENSEÑA.
¡CUIDADO QUE NO TE PILLE!
ES SU ARMA DE DEFENSA.

BALLENA

LA COLA LE SIRVE PARA IMPULSAR SU ENORME Y PESADO CUERPO POR EL AGUA, PARA SALTAR FUERA DE ELLA, Y PARA DESLIZARSE ENTRE LAS OLAS.

TAMBIÉN LA PUEDE USAR COMO ARMA DE DEFENSA O PARA REFRESCAR SU CUERPO SACÁNDOLA DEL AGUA.

LA COLA DE LAS BALLENAS ES COMO TU HUELLA DEL DEDO PULGAR: NO HAY DOS IGUALES.

CUANDO VEAS ENORMES CHORROS DE AGUA EN EL MAR, FÍJATE BIEN, ES ELLA QUE SALE A RESPIRAR.

CABALGA ENTRE LOS MARES
MOSTRANDO SU ARMADURA
Y EN SU FRÁGIL LIGEREZA
LLEVA EN ALTO LA CABEZA.

CABALLITO DE MAR

USA SU COLA COMO SI FUERA UNA MANO.

CON ELLA SE SUJETA A LAS ALGAS, PUES SI NO LO HICIERA VOLARÍA HASTA LA SUPERFICIE Y LAS CORRIENTES LO ARRASTRARÍAN HASTA LA PLAYA.

TOMADOS COLA CON COLA SALEN A PASEAR.

SON MUY PEQUEÑITOS: MIDEN 10 CM, LO QUE MIDE UN LÁPIZ.

ES EL ÚNICO PEZ QUE NADA CON LA CABEZA LEVANTADA.

CON UN OJO PUEDE VER UNA COSA Y CON EL OTRO, OTRA.

LOS CAMARONES SON SU COMIDA FAVORITA.

VIVEN EN CUEVAS:
CUANDO SE AMARRAN SE VAN,
Y CUANDO SE SUELTAN
SE QUEDAN.

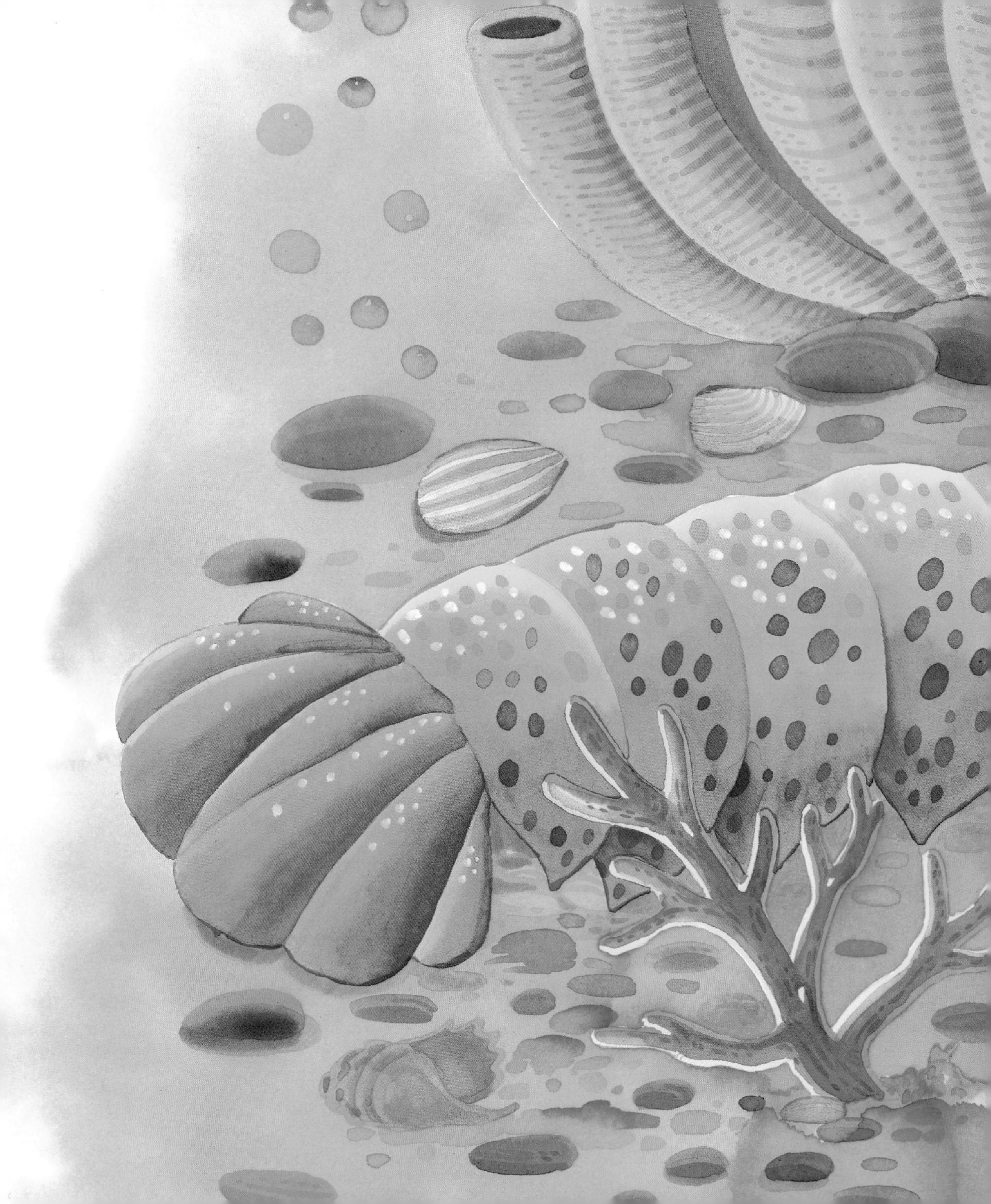

LANGOSTA

TODA SU FUERZA ESTÁ EN SU COLA. CUANDO LA CIERRA, HACE UN TREMENDO RUIDO. ¡CUIDADO, PUEDE HASTA ARRANCAR UN DEDO!

TAMBIÉN USA SU COLA PARA GUARDAR SUS CRÍAS Y PARA ATACAR. MUCHOS DE SUS ENEMIGOS LA ENCUENTRAN POR EL OLOR DE SU EXTREMIDAD.

CUANDO HAY MAL TIEMPO, VIAJAN EN FILA INDIA AGARRADAS COLA CON ANTENA, FORMANDO LARGAS HILERAS DE HASTA CIEN.

CUANDO HACE BUEN TIEMPO VIVEN SOLITARIAS EN SUS CUEVAS OSCURAS.

PARECE UNA GOMA:
SE ALARGA, SE ACHICA;
EL SOL NO LE GUSTA
Y EN TIERRA SE OCULTA.

LOMBRIZ

ES PEQUEÑA Y LARGA. ESTÁ FORMADA POR MUCHOS ANILLOS, TODOS DEL MISMO TAMAÑO.

ES BLANDA, HÚMEDA, FLEXIBLE Y FRESCA.

EN UN EXTREMO TIENE LA BOCA Y EN EL OTRO LA COLA.

ES HEMBRA Y MACHO AL MISMO TIEMPO. CUANDO QUIERE FECUNDARSE SE DIVIDE EN DOS: UNA PARTE SE CONVIERTE EN LA MASCULINA Y LA OTRA, EN LA FEMENINA.

NO LE GUSTA EL SOL Y PARA PROTEGERSE DE ÉL EXCAVA TÚNELES, COMIENDO POCO A POCO LA TIERRA QUE SE ENCUENTRA DELANTE.

PAREZCO UNA ALFOMBRA
QUE VUELA EN EL MAR;
COMO LÁTIGO, MI COLA
LLEVA ELECTRICIDAD.

MANTARRAYA

TIENE UNA LARGA COLA, COMO UN LÁTIGO, QUE USA PARA ATACAR CUANDO ES MOLESTADA.

CON ELLA DA DESCARGAS ELÉCTRICAS MUY PODEROSAS.

LA USA PARA BALANCEARSE CUANDO PLANEA FUERA Y BAJO EL AGUA COMO SI FUERA UNA ALFOMBRA VOLADORA.

CUANDO LA QUIEREN ATACAR SALTA Y SE AZOTA SOBRE EL AGUA, HACIENDO MUCHO RUIDO.

ES PRIMA DE LOS TIBURONES, PERO A DIFERENCIA DE ELLOS LE ENCANTA QUE LA ACARICIEN.

SU PIEL ES RASPOSA COMO LIJA.

ENTRE LAS RAMAS NAVEGA
BUSCANDO SU COMIDA
Y BRINCA ENTRE LAS LIANAS
DURANTE TODA LA VIDA.

MONO

LA COLA LE SIRVE PARA COLGARSE DE LOS ÁRBOLES Y TENER SUS MANOS LIBRES PARA COMER FRUTAS MIENTRAS SE BALANCEA EN LAS RAMAS, Y SE CONVIERTE EN UNA CUERDA DE SEGURIDAD CUANDO ESTÁN DORMIDOS EN LOS ÁRBOLES.

CUANDO JUEGAN, SE AGARRAN DE LA COLA UNOS CON OTROS. TAMBIÉN LA USAN PARA DAR VOLTERETAS.

VIVE EN LA SELVA DONDE HAY LIANAS. ES PELUDO, MUY INTELIGENTE Y JUGUETÓN.

LA COLA ES COMO UNA TERCERA MANO.

TIENE LA COLA MÁS ELEGANTE
DEL REINO ANIMAL;
EN ELLA, MUCHOS OJOS
PUEDES ENCONTRAR.

PAVO REAL

TIENE UNA DE LAS COLAS MÁS LLAMATIVAS DEL REINO ANIMAL.

LOS MACHOS VIVEN PARA ELLA: SE LA ARREGLAN TODO EL TIEMPO PARA IMPRESIONAR A LAS HEMBRAS.

LEVANTARLA Y DESPLEGARLA EN ABANICO REQUIERE ENERGÍA Y BUENOS MÚSCULOS. PERO, ¡CUIDADO!: ATRAE A LOS ENEMIGOS Y NO ES TAN FÁCIL GUARDARLA OTRA VEZ.

LA COLA MÁS BRILLANTE, MÁS TUPIDA Y MÁS EXUBERANTE ES LA DEL MACHO MÁS SANO Y ES LA ADMIRACIÓN ENTRE LAS HEMBRAS Y LA ENVIDIA ENTRE SUS COMPAÑEROS QUE, ENOJADOS, INTENTAN DESPLUMAR A SU CONTRINCANTE.

¡SOBRE SU VIENTRE SE ARRASTRA,
SONANDO SU CASCABEL!
¡CUIDADO, QUE SI TE ENCUENTRA
SIN DUDA TE HA DE MORDER!

SERPIENTE DE CASCABEL

AL FINAL DE SU COLA TIENE UN CASCABEL PARA ANUNCIARLE A TODO EL MUNDO QUE NO LA VAYAN A MOLESTAR, PORQUE LE GUSTA ESTAR ENROSCADA TOMANDO EL SOL.

CUANDO CAMBIA DE PIEL, CAMBIA DE CASCABEL.

EL CASCABEL ES COMO UNA MARACA HUECA, CON ESCAMAS ENDURECIDAS DENTRO. POR ESO, CUANDO LO MUEVE, SUENA.

COMO NO TIENE NARIZ, SACA SU LARGA LENGUA DE DOS PUNTAS Y PUEDE OLER DOS COSAS AL MISMO TIEMPO.

CUANDO SE LE ANTOJA UNA PRESA, LA MUERDE CON SUS AFILADOS COLMILLOS Y LE INYECTA SU VENENO.

ASTUTO ME LLAMAN
Y ASTUTO SOY;
DIFÍCIL QUE ME ENCUENTREN
PUES NO SABEN DÓNDE ESTOY.

ZORRO

LA LARGA Y ESPONJADA COLA LE SIRVE PARA DESPISTAR: CUANDO ALGUIEN LO PERSIGUE NO SABE DÓNDE EMPIEZA LA COLA Y DÓNDE ESTÁ LA CABEZA.

SI PIERDE LA COLA, QUE SE LE ARRANCA CON FACILIDAD, SE REGENERA.

CON ELLA, TAMBIÉN, SE TAPA LA NARIZ CUANDO DUERME, PUES SI SE LE ENFRÍA, SE LE ENFRÍA TODO EL CUERPO.

UNA COLA SANA IMPLICA ESTAR SANO.

ES MUY PACIENTE: ESPERA SIN MOVERSE EL TIEMPO NECESARIO PARA ATRAPAR UNA SABROSA PRESA. TIENE FAMA DE SER MUY ASTUTO.

ÍNDICE

ADIVINA QUIÉN ES… **ALAS**

ADIVINA QUIÉN ES… **CAPARAZONES**

ADIVINA QUIÉN ES… **COLAS**

ADIVINA QUIÉN ES… **CUERNOS**

ADIVINA QUIÉN ES… **DIENTES**

ADIVINA QUIÉN ES… **OJOS**

ADIVINA QUIÉN ES… **OREJAS**

ADIVINA QUIÉN ES… **PATAS**

ADIVINA QUIÉN ES… **PICOS**

ADIVINA QUIÉN ES… **PIELES**

Dirección editorial: Raquel López Varela
Coordinación editorial: Ana María García Alonso
Maquetación: Cristina A. Rejas Manzanera
Diseño de cubierta: Jesús Cruz

Carretera León-La Coruña, km 5 - LEÓN
ISBN: 84-241-8088-7
Depósito legal: LE.67-2002
Printed in Spain - Impreso en España

EDITORIAL EVERGRÁFICAS, S. L.
Carretera León-La Coruña, km 5
LEÓN (España)